TOMHAIS MÉID MO GHRÁ DUIT

Sam McBratney
a scríobh

Anita Jeram
a mhaisigh

Gabriel Rosenstock a d'aistrigh

WALKER ÉIREANN

Bhí Giorria Donn Óg ag dul a chodladh agus greim docht aige ar Ghiorria Donn Mór. Nach air siúd atá na cluasa fada!

Theastaigh uaidh a bheith cinnte go
raibh Giorria Donn Mór ag éisteacht.
"Tomhais méid mo
ghrá duit," ar seisean.

"Ó, níl tuairim agam,"
arsa Giorria Donn Mór.

"An méid seo," arsa Giorria Donn Óg agus shín sé a dhá lámh amach chomh fada agus ab fhéidir leis.

Is faide a bhí lámha an ghiorria mhóir, ar ndóigh. “Agus seo méid mo ghrása DUITSE!” ar seisean.

Hmm, is mór an méid é sin, arsa Giorria Donn Óg leis féin.

"Chomh hard
leis seo atá
méid mo
ghrá duit,"
arsa Giorria
Donn Óg.

"Agus chomh
hard leis *seo*
atá méid mo
ghrása duitse,"
arsa Giorria
Donn Mór.

Tá sé sin
an-ard, arsa
Giorria Donn
Óg leis féin. Nár
bhreá liom lámha
mar sin
a bheith agam.

Bhí smaoineamh maith ansin ag Giorria Donn Óg. Chaith sé é féin bun os cionn agus shín a dhá chos suas san aer.

"Tá grá agam
duit as seo go dtí
lúidín mo choise!"
ar seisean.

"Agus tá grá agamsa
duitse suas go dtí
ordóg do choise,"
arsa Giorria Donn
Mór, á luascadh
os a chionn.

“Chomh hard

leis an bPREAB

seo atá méid mo

ghrá duit!”

arsa Giorria Donn Óg,

agus é ag gáire,
is ag preabaireacht
leis an t-am ar fad.

"Chomh hard leis an bpreab *seo* atá méid mo ghrása duitse," arsa Giorria Donn Mór agus meangadh gáire air – phreab sé chomh hard sin gur chuimil a chluasa leis na géaga os a chionn.

An-phreabaireacht
go deo, arsa
Giorria Donn
Óg leis féin.
Nár bhreá
a bheith in
ann preabadh
mar sin.

"An bealach ar fad síos an lána, fad leis an abhainn, sin méid mo ghrá duit," arsa Giorria Donn Óg.

“Thar an abhainn is de bharr na gcnoc, sin méid mo ghrása duitse,” arsa Giorria Donn Mór.

An-fhada ar fad, arsa
Giorria Donn Óg leis féin.

Ní raibh sé in ann smaoineamh
níos mó. Bhí codladh ag
teacht air.

D'fhéach sé amach thar na sceacha.
Bhí an oíche gach áit. Níl aon
rud níos faide uainn
ná an spéir, an bhfuil?

"An bealach ar fad suas go dtí an GHEALACH, sin méid mo ghrá duit," ar seisean, agus dhún a shúile.

"Ó, tá sé sin an-fhada uainn," arsa Giorria Donn Mór. "An-an-fhada go deo."

Chuir sé Giorria Donn Óg ina luí go deas ar leaba dhuilleogach.

Thug sé póigín dó ansin.

Luigh sé taobh leis agus ar seisean i gcogar, "An bealach ar fad suas go dtí an ghealach –

AGUS AR AIS!

Sin méid mo ghrása duitse!"